USEFUL EXPRESSIONS

in CHINESE

FOR THE ENGLISH-SPEAKING TOURIST

Edited by:

 ·K·U·P·E·R·A

© 1992 KS-JM Books

Distributed in the United Kingdom by:
Kuperard (London) Ltd.
No. 9 Hampstead West
224 Iverson Road
West Hampstead
London NW6 2HL

ISBN 1-85733-027-7

INTRODUCTION

This booklet is an up—to—date and practical phrase for you trip to China. It consists of phrases and voca—bulary you will need in most of the day—to—day situations and it includes a pronunciation guide for all the material. Some of these phrases occur in more than one section so that you do not have to turn pages back and forth.

More polite forms are marked by asterik(✻).

At the end some Chinese sayings related to your trip are added.

The pronunciation of Chinese is rather complex. It has following four TONES:

1st tone	High—pitch	pronunced longer and uniform tone;
2nd tone	Mid—high—pitch	shorter but ascending tone;
3rd tone	Middle—pitch	descenting followed by ascending tone;
4th tone	Low—pitch	short and descenting tone;

in addition there is a fifth tone which is pronunced
lightly and for shorter duration.

The symbols for the tones are:first"‒"; second
" ";third" ";fourth" ";and fifth tone is unmarked.

Consonants and vowels of the Chinese phonetic
alphabet and their corresponding international phonetic
symbols.

Chinese phonetic	international phonetic
b	p
p	p'
m	m
f	f
d	t
t	t'
n	n
l	l
g	k
k	k'

h	x
j	tɕ
q	tɕʻ
x	ɕ
z	ts
c	tsʻ
s	s
zh	tʂ
ch	tʂʻ
sh	ʂ
r	ʐ
y	j
w	w
a	a
o	o
e	
i	i
u	u
u	y

-i	ʅ
ê	ɛ
er	ər
ai	ai
ei	ei
ao	au
ou	əu
an	an
en	ən
ang	aŋ
eng	əŋ
ong	uŋ
ia	ia
ie	iɛ
iao	iau
iu,iou	iəu
ian	ian
in	in
iang	iaŋ

ing	iŋ
iong	yŋ
ua	ua
uo	uə
uai	uai
ui,uei	uei
uaɲ	uan
un,uen	uən
ueng	uəŋ
uang	uaŋ
ue	yɛ
uan	yan
un	yn

CONTENTS

Shì	是	Yes
Bù	不	No
Qǐng	請	Please
Qǐngjìng	請進	Please come in
Qǐngzuò	請坐	Please sit down
Xìexie	謝謝	Thank you
Duōxiè	多謝	It was very kind of you
Bú yòng xìe	不用謝	Not at all
Qǐng yuánliàng	請原諒	Pardon
Duì bù qǐ	對不起	Excuse me
Bú xìe	不謝	You are welcome
Qǐng zuài shuō	請再說	I beg you pardon

GREETINGS

Zǎoshàng hǎo	早上好	Good morning
Wǎnshàng hǎo	晚上好	Good evening
Wǎn'ān	晚安	Good night
Zàijiàn	再見	Good bye

1

Yì hǔr jiàn	一會兒見	See you later
Zài huì	再會	See you again
Nǐ hǎo ma?	你好嗎	How are you?
Hǎo,xièxie.	好，謝謝	Fine, thank you.
Nǐ ne?	你呢	And you?

QUESTIONS

Zài nǎr?	在哪兒	Where?
...zàinǎr?	...在哪兒	Where is...?
		Where are...?
Shénme	什麼	What
Zěnmèyàng	怎麼樣	How
Duōshǎo	多少	How much/many
Duōshǎo qián	多少錢	How much (price)
Shéi	誰	Who
Nǎ ge	哪個	Which
Wèishénme	為什麼	Why
yīnwéi	因為	Because

Qǐngwèn,zhège／nàge Hànyǔ zěnme shuō?	請問，這個／那個 漢語怎麼説?	Excuse me,what do you call this/that in Chinese?
Tā	它	It
Qǐngwèn,Hànyǔ"piàoliàng" zěnme shuō?	請問，漢語"漂亮" 怎麼説?	Excuse me,how do you say "beautiful"in Chinese?
Piàoliàng	漂亮	Beautiful
Wǒme shuō:"piàoliàng"	我們説:"漂亮"	We say—"Piaoliang".
Hěnshǎo／hěnduō	很少／很多	A little／A lot
Hé	和	And
...hé...	...和...	...and...
Měi／chǒu	美／丑	Beautiful／Ugly
Gènghǎo／gènghuài	更好／更壞	Better／Worse
Dà／xiǎo	大／小	Big／Small
Dà yìxiē／xiǎo yìxiē	大一些／小一些	Bigger／Smaller
Piányì／guì	便宜／貴	Cheap／Expensive
Piányì yìxiē／guì yìxiē	便宜一些／貴一些	Cheaper／More expensive
Zǎo wǎn	早／晚	Early／Late

Zǎo xiē / Wǎn xiē	早些／晚些	Earlier/Later
Róngyì / Nán	容易／難	Easy/Difficult
Gèng róngyì / Gèng nán	更容易／更難	Easier/More difficult
Gòu le / Bú gòu	够了／不够	Enough/Deficient
Kuài / Màn	快／慢	Fast/Slowly
Kōng wèi / Yǒu rén	空位／有人	Free(vacant)/Occupied
Mǎn / Kōng	滿／空	Full/Empty
Mǎn le	滿了	Full(no room)
Hǎo / Huài	好／壞	Good/Bad
Zhòng / Qīng	重／輕	Heavy/Light
Zhòng yìxiē / Qīng yìxiē	重一些／輕一些	Heavier/Lighter
Zhèlǐ / Nàlǐ	這裡／那裡	Here/There
Zài zhèli / Zài nàli	在這兒／在那兒	Here it is/There it is
Rè / lěng	熱／冷	Hot/Cold
Rè yìxiē / Lěng yìxie	熱一些／冷一些	Hotter/Colder
Yěxǔ	也許	Maybe
Hěn duō	很多	Many
...hěn duō	。。。很多	Many...(much...)

Duō xiē/Shǎo xiē	多些/少些	More/Less
Jìn/Yuǎn	近/遠	Near/Far
Jìn xiē/Yuǎn xiē	近些/遠些	Nearer/Farther
Zuì jìn de	最近的	The nearest
Jiē zè de/Zuì hòu de	接着的/最後的	Next/Last
Xiànzài/Nàshí	現在/那時	Now/Then
Dāngrán	當然	Of course
Jīngcháng/Hěnshǎo	經常/很少	Often/Seldom
Jìu/Xīn	舊/新	Old/New
Jìuxiē/Xīnxiē	舊些/新些	Older/Newer
Lǎo/Niánqīng	老/年輕	Old/Young
Lǎo yìxiē/Niánqīng yìxiē	老一些/年輕一些	Older/Younger
Kāi/Guān	開/關	Open/Closed
Kěnéng	可能	Perhaps
Huòzhě(...huòzhě...)	或者(... 或者...)	Or(...or...)
Kuài/Màn	快/慢	Quick/Slow
Yòu/Zuǒ	右/左	Right/Left
Duì/Cuò	對/錯	Right/Wrong

Yìxiē	一些	Some
Mǒu rén	某人	Somebody(Someone)
Mǒu tiān	某天	Someday
Wúlùn rúhé	無論如何	Somehow
Mǒu shì	某事	Something
Mǒu shí	某時	Sometime
Yǒu shíhòu	有時候	Sometimes
Bùjiǔ	不久	Soon
Yě	也	Too(Also)
Hěn	很	Very
Hěn guì	很貴	Very expensive

NI HUI SHUO...	你會説...	DO YOU SPEAK...
Nǐ huì shuō Yīngyǔ ma?	你會説英語嗎?	Do you speak English?
Yīngyǔ	英語	English
Fǎyǔ	法語	French
Déyǔ	德語	German
Yìdàli yǔ	意大利語	Italian

6

Xībānyá yǔ	西班牙語	Spanish
Ā'lābó yǔ	阿拉伯語	Arabic
Hànyǔ	漢語	Chinese
Rìyǔ	日語	Japanese
Nǐ huì...ma?	你會...嗎?	Do you understand... ?
Nǐ huì Yīngyǔ ma?	你會英語嗎?	Do you understand English ?
Huì,Wǒ huì	會，我會。	Yes , I understand
Huì,wǒ huì yìdiǎnr	會，我會一點兒。	Yes , I understand a little
Duì bù qǐ...	對不起。。。	I am sorry...
Duì bù qǐ,wǒ bù dǒng.	對不起，我不懂。	I am sorry , I don't understand
Wǒ shuō Hànyǔ shuō de	我說漢語說得	I don't speak Chines well
bù hǎo.	不好	
Qǐng nín zài màn diǎn shuō	請您再慢點説	Could you please speak more slowly ?
QING NI BA...XIE	請你把...寫	COULD YOU KINDLY
ZAI ZHE ZHANG ZHI SHANG	在這張紙上	WRITE...DOWN ON THE PAPER ?
⚮ Nín kěyǐ bǎ tā xiě	您可以把它寫	Could you kindly write
xiàlái ma?	下來嗎?	it down

Yí gè zì	一個字	A word
Zhè gè zì	這個字	The word
Biǎodá	表達	Expression
Zhè ge biǎodá	這個表達	The expression
Zhè ge duǎnyǔ	這個短語	The phrase
Hǎo, wǒ huì bǎ	好，我會把	Yes，I "ll writeit
tā xiě xià lái.	它寫下來。	down.
Nǐ kěyǐ wèi wǒmen	你可以為我們	Could you kindly translate
bǎ zhè ge fānyì chū lái ma?	把這個翻譯出來嗎?	this for me／us?
Qǐng jiāng zhè běn shū de zhè	請將這本書的這	Please point to this phrase
ge duǎn yǔ zhǐ chū lái.	個短語指出來.	in this book.
Qǐng shāo děng, wǒ kànkàn	請少等，我看看	Just a minute, I'll see
zhè běn shū li yǒu méi yǒu.	這本書裡有沒有.	if I can find it in this book.
Zhèli yǒu rén huì shuō	這裡有人會説	Is there anyone here who
Yīngyǔ ma?	英語嗎?	speaks English?
Yǒu,yǒu rén hùi.	有，有人會.	Yes,there is.
Yǒuma?!nà tài hǎo le.	有嗎? 那太好了.	Yes?! That's fine.
Shì nánde, háishì nǚde?	是男的還是女的?	Is it a lady or a man?

Shì yí ge nánde. Qǐng nǐ jiào tā lái hǎo ma?	是一個男的. 請你叫他來好嗎?	It is a man Could you kindly call him here?

WHERE IS THE NEAREST

Qǐngwèn, zuìjìn de... zài nǎr? Nǐ zhīdào fùjìn yǒu...ma?	請問，最近的... 在那兒? 你知道附近 有...嗎?	Excuse me, where is the nearest...? Do you know any...nearby?
Gǔdǒng diàn	古董店	Antique shop
Měishù guǎn	美術館	Art gallery
Yínháng	銀行	Bank
Lǐfà diàn	理髮店	Barber shop
Měiróng diàn	美容店	Beauty parlor
Shūdiàn	書店	Book shop
Shèyǐng qìcái	攝影器材店	Camera shop
Yákē yīyuàn	牙科醫院	Dentist
Bǎi huò shāngdiàn	百貨商店	Department store

Bù diàn	布店	Draper
Fúzhuāng diàn	服装店	Dressmaker's
Yào diàn	药店	Drug store
Shuǐguǒ diàn	水果店	Fruit shop
Yú diàn	鱼店	Fish shop
Xiū chē chǎng	修車場	Garrage
Cài diàn	菜店	Green grocer's
Shípǐn diàn	食品店	Grocer's(store)
Mào diàn	帽店	Hot shop
Yīyuàn	醫院	Hospital
Xǐ yī diàn	洗衣店	Laundry
Jǐu diàn	酒店	Liquor store
Yào diàn	药店	Pharmacy
Zhàoxiàng guǎn	照相館	Photographer's
Jǐnchá jú	警察局	Police station
Yóujú	郵局	Post office
Xié diàn	鞋店	Shoe shop
zhàn	站	Station

Wénjù diàn	文具店	Stationery's shop
Chāojí shìchǎng	超級市場	Super market
Wèishēng jiān	衛生間	Toilet
Wánjù diàn	玩具店	Toy shop
Lǚxíng shè	旅行社	Travel agent
Zhōngbiǎo diàn	鐘表店	Watch maker
	銀行	BANK
Qǐngwèn, zùijìn de	請問，最近的	Excuse me, where is
yínháng zài nǎr?	銀行在那兒?	the nearest bank?
Nàr jiù yǒu yí gè	那兒就有一個	Yes, there is one right there
Jiù zài nàr	就在那兒	Right there.
Zài nà ge guǎijiǎo	在那個拐角	On that corner
Zài pángbiān de nà tiáo	在旁邊的那條	On the next street
jiē shàng	街上	
Wǒ xiǎng huàn yìxīe Měijīn	我想換一些美金	I want change some dollars
Měijīn	美金	Dollars
Mǎkè	馬克	Mark

Bàng	鎊	Pounds
Fǎláng	法朗	Francs
Lǚxíng zhīpiào	旅行支票	Travellars's cheques
Hùzhào	護照	Passport
Wǒ kěyǐ kàn nǐ de hùzhào ma?	我可以看你的護照嗎?	Can I see you passport please?
Tā zài zhèr	它在這兒	Here it is
Kěyǐ gěi wǒ yìxiē língqián ma?	可以給我一些零錢嗎?	Could I have it in small change, please?
Zěng qián	整錢	In large notes

	飯店	HOTEL
Wǒ zài zhǎo yí ge hǎo fàndiàn	我在找一個好飯店	I am looking for a good hotel
Bú yào tài guì	不要太貴	Not so expensive
Nǐ zhīdào zài fùjìn yǒu shénme hǎo fàndiàn ma?	你知道在附近有什麼好飯店嗎?	Do you know any good hotel nearyby
Wǒ de míngzi jiào...	我的名字叫...	My name is...

Wǒ yùdìng le yí ge fángjiān	我預訂了一個房間	I booked a room here
Dānrén	單人	Single
Shuāngrén	雙人	Double
Wǒ xiǎng kàn yíxià	我想看一下	I should like to see
zhège fángjiā	這個房間	the room
Wǒ de fángjiā zài	我的房間在	On which floor is
jǐ lóu	幾樓	my room
Zài yī lóu	在一樓	It is on the first floor
Zài èr lóu	在二樓	It is on the second floor
Zài sān lóu	在三樓	It is on the third floor
Zài sì lóu	在四樓	It is on the fourth floor
Zài wǔ lóu	在五樓	It is on the fifth floor
Wūzi lǐ dài	屋子裡帶	Is the room air conditioned ?
kōngtiáo ma?	空調嗎?	
Dài kōngtiáo	帶空調	Yes, it is air-conditioned
Wūzi lǐ yǒu sīrén	屋子裡有私人	Has the room a private
yòng zǎopén huò línyù ma?	用澡盆或淋浴嗎?	bath or shower?
yǒu	有	Yes, it has

Bāokuò zǎofàn ma?	包括早飯嗎?	Is it with breakfast?
Yì tiān duōshǎo qián?	一天多少錢	How much per day
Nǐmen yǒu dà yìdiǎn de fángjiān ma?	你們有大一點的房間嗎?	Do you have a bigger room?
Xiǎo yìdiǎn	小一點	Smaller
Piányì xiē	便宜些	Cheeper
Ānjìng yìdiǎn	安靜一點	Quieter
Nǐ kěyǐ bǎ wǒ de xínglǐ sòng dào fángjiān qù ma?	你可以把我的行李送到房間去嗎?	Will you send for my bag?
Qǐng gěi fángjiān yàoshi	請給我房間鑰匙	My room key, please
Fángjiān yàoshì	房間鑰匙	Room key
Fángjiān hàomǎ	房間號碼	Room number
Diàntī	電梯	Lift
Chuáng	牀	Bed
Tǎnzi	毯子	Blanket
Chuángdān	牀單	Sheet
Zài gěi wǒ yi tiáo yùjīn hǎo ma?	再給我一條浴巾好嗎?	May I have another towel?

Zài gěi wǒ yì tiáo tǎnzi hǎo ma?	再給我一條毯子好嗎?	May I have another blanket
Wǒ kěyi zài yǒu yìxiē yījià ma?	我可以再有一些衣架嗎?	May I have more hangers?
Gěi wǒ yìxiē zhēnxiàn hǎo mǎ?	給我一些針綫好嗎?	May I have needles and cottons?
Wèishēng zhǐ	衛生紙	Toilet paper
Shéi ya?	誰呀?	Who is it?
Qǐng jìn	請進	Please(come in)
Diànbào	電報	Cable
Kěyǐ fā guójì diànbào ma?	可以發國際電報嗎?	Could you cable abroad
Guójì chángtú diànhuà	國際長途電話	International telephone
☀ Nín míngtiān kěyǐ jiàoxǐng wǒ ma／	您明天六點可以叫醒我嗎?	Will you please wake me at six o'clock?
Liù diǎn	六點半	At half past six
Qī diǎn	七點	At seven
Cāntīng zài nǎr?	餐廳在那兒?	Where is the Dining Room?

Zài èr lóu	在二樓	It is on the second floor
Shénme shíhòu kāi zǎofàn?	什麼時候開早飯？	When can I get breakfast?
Qī diǎnzhōng kāoshǐ	七點鐘開始	From seven o'clock
Fùjìn yǒu wǎngqiú chǎng ma?	附近有網球場嗎？	Is there a tennis court nearby?
Yóuyǒngchí zài nǎr?	游泳池在那兒？	Where is the swimming pool?
Yǒu wǒ de xìn ma?	有我的信嗎？	Have you get any mail foe me?
Yǒu rén gěi wǒ líu huà ma?	有人給我留話嗎？	Is there any message for me?
Wǒ xiànzài chūqù	我現在出去，	I am going out and
Jǐu diǎn zuǒyòu huílái	九點左右回來	return at nine o'clock
Shí diǎn zuǒyòu wǒ huì huílái	十點左右我會回來	I'll return around ten o'clock
Shí diǎn bàn zuǒyòu	十點半左右	Around ten o'clock
Míngtiān wǔ diǎn wǒ líkāi fàndiàn	明天五點我離開飯店	I'll leave the hotel tomorrow at five o'clock
Míngtiān zǎoshàng lìu diǎn	明天早上六點	Tomorrow morning at six
Qǐng jiāng wǒ de zhàngdān jiécuàn chūlái	請將我的帳單結算出來	Please make up my bill
Wǒ kěyǐ jiāng wǒ de xínglǐ cún zài zhèr dào shí yī diǎn	我可以將我的行李存在這兒到十一點嗎？	May I store my luggage here until eleven o'clock
Dào zhōngwǔ	到中午	Till noon

	運輸	TRANSPORT
Gōnggòng qìchē	公共汽車	Bus
Huǒchē	火車	Train
Diànqì qìchē	電汽火車	Electric train
Kuàichē	快車 (火車)	Express train
Fēijī	飛機	Plane
Dìtiě	地鐵	Underground
Piào	票	Ticket
Sījī	司機	Driver
Bānyùn gōng	搬運工	Porter
Xínglì	行李	Luggage
Chūzū qìchē	出租汽車	Taxi
Língqián	零錢	Change
	火車站	RAILWAY STATION
Qǐngwèn, huǒchēzhàn zài nǎr?	請問，火車站在那兒？	Excuse me, where is the railway station?
Shòu piào chù zài nǎr?	售票處在那兒？	Where is the ticket window?

Zài nàr	在那兒	There it is.
Zài zhèr	在這兒	Here it is
Fēi cháng gǎnxiè nín	非常感謝您	Thank you very much
Wǒ xiǎng mǎi yì zhāng dào	我想買一張到	I'd like to have a
Běijīng de huǒchē piào	北京的火車票	train ticket for Beijing
Yì zhāng(piào)	一張(票)	One(ticket)
Liǎng zhāng(piào)	兩張(票)	Two(tickets)
Sān zhāng(piào)	三張(票)	Three(tickets)
Sì zhāng (piào)	四張(票)	Four(tickets)
Chéng nián rén	成年人	A dult/Adults
Értóng	兒童	Child/Children
Liǎng zhāng chéng rén piào	兩張成人票	Two(tickets)for adults,
yì zhāng értóng piào	一張兒童票,	one for child
Yì zhāng chéng rén piào	一張成人票.	One for adult and
liǎng zhāng értóng piào	兩張兒童票.	two for children
Dān chéng piào	單程票	One-way ticket
Wǎng fǎn piào	往返票	Return ticket
Zuò wèi	座位	Seat

Yī děng chēxiāng	一等車廂	First class(seat)
Pǔ tōng chēxiāng	普通車廂	Ordinary(seat)
Wò chēxiāng	臥車廂	Sleeping—car
Wò chē piào	臥車票	Berth ticket
Jìn yān chēxiāng	禁煙車廂	No smoking seat

	這個地方在那兒	WHERE IS THIS PLACE?
Qǐngwèn, zhège dìfang zài nǎr?	請問，這個地方 在那兒？	Excuse me, where is place?
Zhè shi Shànghǎi.	這是上海	This is Shanghai.
Zhè shì Běijīng ma?	這是北京嗎？	Is this Beijing ?
Shì, zhè shì Běijīng	是，這是北京	Yes, it is
Bù, bú shì	不，不是	No, it isn't
Zhè shì Xī'ān	這是西安	Tt is Xi'an.
Zhì shì Ná'jīng ma?	這是南京嗎？	Is this Nanjing?
Bù, Nán jīng shì xià zhàn	不，南京是下站	No,Nanjing is the next station.
O, zhēn de ma?	噢，真的嗎？	Oh, is it?
Fēicháng gǎnxiè	非常感謝您	Thank you very much
Bú xiè	不謝	You're welcome.

	藥店	PHARMACY
Nǐ yǒu zhì gǎnmào de cháng yòng yào ma?	你有治感冒的常用藥嗎?	Have you a mild cure for a cold?
Nǐ yǒu zhì tóu téng de yào ma?	你有治頭疼的藥嗎?	Have you something for a headache?
Nǐ yǒu chì yá téng de yào ma?	你有治牙疼的藥嗎?	Have you something for toothache?
Jǐujīng	酒精	Alchol
Ā s pǐ lín	阿斯匹林	Aspirin
Pēngdài	綳帶	Bandage
Yàomián	藥棉	Cotton wool
Diǎn	碘	Lodione
Hóng yào shuǐ	紅藥水	Mercurochrome
Tǐ wēn biǎo	體溫表	Thermometer
Fán shì lín	凡士林	Vaselin

	醫生	DOCTORS
Kuài jiào yīshēng	快叫醫生	Get a doctor,quick!
Yīshēng	醫生	Doctor/Doctors
Yáke yīshēng	牙科醫生	Dentist
Pífu kē yīshēng	皮膚科醫生	Dermatologist(Skin specialist)
Er̆,bí hóu kē yīshēng	耳,鼻,喉科 醫生	Ear, nose and throal specialist
Yăn ke yīshēng	眼科醫生	Eye specialist
Fù chăn kē yīshēng	婦産科醫生	Obsterician and Genecologist
Nèi kē yīshēng	内科醫生	Internal specialist
Shénjing ke yīshēng	神經科醫生	Neurologist
Zhĕn xíng wài ke yīshēng	整形外科醫生	Orthopedist
Xiăo ér ke yīshēng	小兒科醫生	Pediatrician
Wài ke yīshēng	外科醫生	Surgeon
Zài zhège lǚguăn lǐ yŏu yīshēng ma?	在這個旅館裡 有醫生嗎？	Is there are doctor in the hotel ?
Nǐ néng wèi wŏ/wŏmen kuài dian jiào yīshēng lái ma?	你能爲我／我們 快點叫醫生來嗎？	Can you get me/us a doctor quickly?
Qǐng lìke gĕi yīsheng dă diànhuà	請立刻給醫生 打電話.	Please telephone for a doctor immediately.

Nǐ rènshi huì shuō Yīngyǔ de yīshēng ma?	你認識會説英語的醫生嗎?	Do you know any doctor who speaks English?
Nǐ zhīdào nǎlǐ yǒu Měiguó yīyuàn ma?	你知道哪裡有美國醫院嗎?	Do you know any American hospital?
Nàwèi yīsheng kěyǐ lái zhèr gěi wǒ kàn bìng ma?	那位醫生可以來這兒給我看病嗎?	Could the doctor come and see me here?
Nàwèi yīshēng shénme shíhòu lái?	那位醫生什麼時候來?	What time can the doctor come?
Nǐ zěnme le?	你怎麼了?	What is the trouble?
Nǎe téng?	哪兒疼?	Where is the pain?
Wǒ gǎnjué bù hǎo	我感覺不好?	I am not feeling well
Wǒ zhàngfu gǎnjué bù hǎo	我丈夫感覺不好	My husband is not well
Wǒ qīzi gǎnjué bù hǎo	我妻子感覺不好	My wife is not well
Wǒ de/Wǒmen de háizi gǎnjué bù hǎo	我的/我們的孩子感覺不好	My/our child is not well
Wǒ hòubèi téng	我後背疼	I've got backche
Wǒ shòu liáng le	我受涼了	I've got cold
Wǒ tóu téng	我頭疼	I've got headach
Wǒ tóu hěn téng	我頭很疼	I have a bad headach

Wǒ wèi téng	我胃疼	I've got stomachache
Wǒ fāshāo le	我發燒了	I've got temparature /fever
Wǒ méiyǒu shíyù	我沒有食欲	I have no appetite
Wǒ zài fādǒu	我在發抖	I feel shivery
Wǒ tóuyūn	我頭暈	I feel dizzy
Wǒ ě xīn	我惡心	I feel nausea
Wǒ juéde yào yūndǎo	我覺得要暈倒	I feel faint
Máng cháng yán	盲腸炎	Appendicitis
Qì chuǎn bìng	氣喘病	Asthma
Diē dǎ shāng	跌打傷	Bruise
Shòu liáng	受涼	Cold
Biàn mì	便秘	Constipation
Jīng fēng	驚風	Convulsion
Jīng luán	痙攣	Cramps
táng niào bìng	糖尿病	Diabetes
Fǔ xiè	腹泄	Diarrhoea
Lì ji	痢疾	Dysentery
Shíwù zhòngdú	食物中毒	Food poisoning
Huā fěn rè	花粉熱	Hay fever
Xiāohuà bùliáng	消化不良	Indigestion

...de yánzhèng	...的炎癥	Inflammation of...
Gǎnmào	感冒	Influenza
Guānjié yán	關節炎	Rheumatism
Kuìyáng	潰瘍	Ulcer
Shòushāng	受傷	Wound
Wǒ...guòmǐn	我...過敏	I am allergic to...
Wǒde yùchǎn qī shì...	我的預産期是...	I am expecting a baby in ...
Wǒ qīzi de yùchǎn qī shì zài shíèr yuè	我妻子的預産期是在十二月	My wife is expecting a baby in December
Tāde yùchǎn qī shì zài xià ge yuè	她的預産期是在下個月	She is expecting a baby next month

PARTS OF THE BODY

Huái	踝	Ankel
Mángcháng	盲腸	Appendix
Wàn	腕	Arm
Dòngmài	動脈	Artery
Bèi	背	Back
xuě	血	Blood
gǔ	骨	Bone/Bones

Cháng	腸	Bowels
Rǔfáng	乳房	Breast
Jiá	頰	Cheek
Xióng	胸	Chest
Xià'é	下额	Chin
Suǒgǔ	鎖骨	Collar-bone
Eř	耳	Ear
Zhǒu	肘	Elbow
Yǎnjīng	眼睛	Eye
Liǎn	臉	Face
Shǒuzhǐ	手指	Finger
Jiǎo	脚	Foot
Qián'é	前额	Fore head
Xiàn	腺	Gland
Línba xiàn	淋巴腺	A lymphatic gland
Línba xiàn féi dà	淋巴腺肥大	The (lymphatic) glands are enlarged
Tóufa	頭髮	Hair
Tóu	頭	Hand
Xīnzàng	心臟	Heart
Jiǎo hòu gen	脚後跟	Heel

Túnbù	臀部	Hip
Cháng	腸	Intestine
Xiǎo cháng	小腸	Small intestine
Dà chǎng	大腸	Large intestine
Xiàba	下巴	Jaw
Guān jie	關節	Joint
Shènzhàng	腎臟	Kidney
Xīgài	膝蓋	Knee
Xīgài gǔ	膝蓋骨	Knee cap
Tuǐjiǎo	腿脚	Leg
Chún	唇	Lip
Gān	肝	Liver
Fèi	肺	Lung
Kǒu	口	Mouth
Jīròu	肌肉	Muscle
Bózi	脖子	Neck
Shénjing	神經	Nerve
Bízi	鼻子	Nose
Lèigǔ	肋骨	Rib
Jiān	肩	Shoulder

Pīfu	皮膚	Skin
Jísuí	脊髓	Spine
Wèi	胃	Stomach
Jiàn	腱	Tendon
Xiǎotuǐ jiàn	小腿腱	Tendon of achilles
Dà tuǐ	大腿	Thigh
Yānhóu	咽喉	Throat
Dà mǔzhi	大拇指	Thumb
Dà jiǎozhi	大脚指	Toe
Shé	舌	Tongue
Biǎntáo xiàn	扁桃腺	Tonsis
Xiǎobiàn	小便	Urine
Jìngmài	静脉	Vein
Shǒuwàn	手腕	Wrist

	书店	BOOK SHOP
Nǐ yǒu Yīngyǔ de lǚyóu shǒucè ma?	你有英语的 旅游手册吗?	Do you have a guide book in English?
Nǐ yǒu Fǎyǔ de lǚyóu shǒucè ma?	你有法语的 旅游手册吗?	Do you have a guide book in French?

Zhōngguó de...	中國的...	Of all China
Běijīng de	北京的...	Of Beijing
Shànghǎi de	上海的...	Of Shanghai
Nǐ yǒu zhège chéngshì de dìtú ma?	你有這個城市的地圖嗎?	Do you have a map of the city?
Nǐyǒu zhège guójiā de dìtú ma?	你有這個國家的地圖嗎?	Do you have a map of the country?
	文具店	STATIONARY SHOP
Wǒ xiǎng mǎi...	我想買...	I would like to buy...
Wǒ xiǎng mǎi yìzhī bǐ	我想買一枝筆	I would like to buy a pencil
Gāngbǐ	鋼筆	Fountain pen
Yuánzhū bǐ	圓珠筆	Ball point pen
Bǐxīn	筆芯	Refill of the pen
Xìnfēng	信封	Envelopes
Xiàngpí	橡皮	Eraser
Xìnjiàn	信箋	Writing pad
Xiàn,Shéng	綫，繩	String,Cord
Zhǐ	紙	Paper

	颜色	COLORS
Hēisè	黑色	Black
Lánsè	藍色	Blue
Zōngsè	棕色	Brown
Huīsè	灰色	Gray
Lùsè	綠色	Green
Fěnsè	粉色	Pink
Zǐsè	紫色	Purple
Hóngsè	紅色	Red
Báisè	白色	White
Huángsè	黃色	Yellow

	理髮	HAIDRESSER
Wǒ xiǎng lǐfà	我想理髮	I want to get a hair cut
Nǐ xiǎng zěnme lǐ?	你想怎麼理?	How do you want it cut?
Wǒ xiǎng lǐchéng....	我想理成....	I want to get a hair cut...
Qiánmiàn	前面	In front
Zài pángbiān	在旁邊	On the sides
Hòumiàn	後面	Behind
Duǎn	短	Short
Búyào tài duǎn	不要太短	Not too shor

Cháng yìxiē	長一些	Longer
Húzì	胡子	Beard
Húzì(zuǐ shàng biān de)	胡子(嘴上邊的)	Moustache
Qǐng gěi wǒ xǐtóu	請給我洗頭	I want a shampoo,please
Bú yào jiǎn de tài duǎn	不要剪得太短	Don't cut it too short
Qián miàn bú yào jiǎn	前面不要剪	Don't cut it too short
de tài duǎn	得太短	in front
Zài hòumiàn	在後面	At the back
Zài zhèbiān	在這邊	At the sides
Zài tóu dǐng shàng	在頭頂上	On top
Bú yào yòng jiǎnzi	不要用剪子	Don't use the clippers
Zhǐ xiāo fà	只削髮	Just a trim,please
Qǐng nǐ xiāo...	請你削...	Would you please trim...
Zhè yàng kěyǐ le	這樣可以了	That's enough off
Nǐ yào yòng fà yóu ma?	你要用髮油嗎?	Do you want any cream?
Nǐ yào hù fà shuǐ ma?	你要護髮水嗎?	Do you want any lotion?
Yào, xièxie.	要，謝謝	Yes please
Xièxie nǐ	謝謝你	Thank you
Duōshǎo qián?	多少錢	How much do I own you?

	飯館	RESTAURANT
Nǐ kěyǐ wèi wǒmen jièshào	你可以爲我們介紹	Can you recommend a good
yì jiā hǎo fànguǎn ma?	一家好飯館嗎?	restaurant?
Fànguǎn	飯館	Restaurant
Yì jiā hǎo fànguǎn	一家好飯館	A good restaurant
Yì jiā hǎo de rì cāi guǎn	一家好的日餐館	A good Japanese restaurant
Yì jiā hǎo de zhōng cān guǎn	一家好的中餐館	A good Chinese restaurant
Nǐ zhīdào nǎlǐ yǒu	你知道哪裡有	Do you know any unexpensive
piányì de zhōng cān ma?	便宜的中餐館嗎?	Chinese restaurant?
Wǒmen kěyǐ zuò kào	我們可以坐靠	Could we have a table
chuānghù de zhuōzi nàr ma?	窗戶的桌子那兒嗎?	by the window?
Kào chuānghù	靠窗戶	By the window
Jǐ ge rén?	幾個人	How many persons?
Liǎng ge rén	兩個人	Two persons
Sān gè rén	三個人	Three persons
Sì ge rén	四個人	Four persons
Wǔ ge rén	五個人	Five persons
Lìu ge rén	六個人	Six persons
Qǐng gěi wǒ／wǒmen	請給我／我們	Could I/We have
yì ge yāngāng	一個煙缸	an ashtray?

Yāngāng	煙缸	Ashtray
Lìng wài yì ba yǐzi	另外一把椅子	Another chair
Chāzi	叉子	Fork
Bēizi	杯子	Glass
Yì bēi shuǐ	一杯水	Glass of water
Dāozi	刀子	Knife
Cān zhǐ	餐紙	Napkin
Sháozi	勺子	Spoon
Yáqiān	牙签	Toothpick
Qǐng gěi wǒmen	請給我們	Would you bring us
yìxiē miànbāo	一些面包	some bread,please?
Miànbāo	面包	Bread
Huángyóu	黄油	Butter
Guǒjiàng	果醬	Jam
Jièmo	介末	Mustard
Gǎnlǎn yǒu	橄欖油	Olive—oil
Hújiāo miàn	胡椒面	Pepper
Juǎn	卷	Rolls
Yán	鹽	Salt
Táng	糖	Sugar

Shuǐ	水	Water
Wǒ xiǎng yào...	我想要...	I'd like to have...
Nǐ yǒu...	你有...	Have you any...
Nǐ yǒu nǎ yì zhǒng...?	你有哪一種...?	What kind of ...
		do you have?
	湯	SOUP
Jī tāng	雞湯	Chicken soup
Qīng tāng	清湯	Clear soup
Mógu tāng	蘑菇湯	Mushroom soup
Xīhóngshì tāng	西紅柿湯	Tomato soup
Qīng cài tāng	青菜湯	Vegetable soup
	蛋	EGGS
Zǔ dàn	煮蛋	Boiled eggs
Bù ruǎn bú yìng(zǔ dàn)	不軟不硬(煮蛋)	Medium
Shóu te de	熟透的	Hard
Chǎo dàn	炒蛋	Fried eggs
Jiān dàn	煎蛋	Scrambled
Jiān dàn bǐn	煎蛋餅	Omelet,plain
Huǒ tuǐ dàn bǐn	火腿蛋餅	Ham omlet

		FISH AND SHELLS
Pángxia	螃蟹	Crab
Lóngxiā	龍蝦	Lobster
Mǔli	牡蠣	Oyster
Kǎo yú	烤魚	Roast fish
Guì yú	鮭魚	Salmon
Shā dīng yú	沙丁魚	Sardine
Xiā	蝦	Shrimp
Dié yú	鰈魚	Sole
	肉類	MEAT
Xián ròu	咸肉	Bacon
Níu ròu	牛肉	Beef
Níu ròu piàn	牛肉片	Beef cutlet
Duì níu ròu	炖牛肉	Beef stew
Níu pái	牛排	Beefsteak
Shāo de tòu	燒得嫩	Rare
Zhōng sháo	中燒	Medium
Shāo tòu	燒透	Well-done
Jí	雞	Chicken

Gālì jī	咖喱雞	Grilled chicken
Zǐ jī	子雞	Young chicken
Zhá wánzi	炸丸子	Croquette
Ròu piàn	肉片	Cutlets
Huótuǐ	火腿	Ham
Xiǎo yáng ròu	小羊肉	Lamb
Zhū ròu	豬肉	Pork
Zhū pái	豬排	Pork chops
Kǎo zhū ròu	烤豬肉	Roast pork
Xiāng cháng	香腸	Sausage
Dùn ròu	炖肉	Stew
Xiǎo níu ròu	小牛肉	Veal
	蔬菜	VEGETABLE
lúsǔn	蘆筍	Asparagas
Yuán bái cài	圓白菜	Cabbage
Cài huā	菜花	Cauliflower
Hú luó bu	胡羅卜	Carrot
Huáng guā	黃瓜	Cucumber
Suàn	蒜	Garlic

Bú yào yòng suàn	不要用蒜	Without garlic
Lù dòu	綠豆	Green peas
Wū jù	萵苣	Lettus
Mógu	蘑菇	Mushroom
Yángcōng	洋葱	Onions
Shōng cōng piàn	生葱片	Raw, sliced onions
Tǔdòu	土豆	Potatoes
Chǎo tǔdòu	炒土豆	Fried potatoes
Tǔdòu ní	土豆泥	Mashed potatoes
Liáng bàn cài	涼拌菜	Salad
Pōcài	菠菜	Spinach
Xīhóngshì	西紅柿	Tomato
	水果和甜食	FRUIT AND DESERT
Píngguǒ	蘋果	Apple
Xiāngjiāo	香蕉	Banana
Nǎilào	奶酪	Cheese
Xiān shuǐguǒ	鮮水果	Fresh fruit
Shuǐguǒ selā	水果色拉	Fruit salad
Pútaó yòu	葡萄柚	Grapefruit

Bīng qì lín	冰淇淋	Ice cream
Xiāng cǎo	香草	Vanila
Qiǎo kè lì	巧克力	Chocolate
Níng méng	檸檬	Lemon
Júzi	橘子	Orange
Pōluó	菠蘿	Pineapple
Zhǔ shuǐguǒ	煮水果	Stewed fruit
Cǎoméi	草莓	Strawberries
	飲料	BEVERAGES
Píjǐu	啤酒	Beer
Báilándì	白蘭地	Brandy
Fǎguó báilándì	法國白蘭地	Cognac
Kěke	可可	Cocoa
Kāfēi	咖啡	Coffee
Lǜchá	綠茶	Green tea
Shuǐguǒzhi	水果汁	Juice
Júzhi	橘汁	Orange juice
Xīhóngshì zhi	西紅柿汁	Tomato juice
Níunǎi	牛奶	Milk

Fàng níunǎi	放牛奶	With milk
Rè níunǎi	热牛奶	Hot milk
Liáng níunǎi	凉牛奶	Cold milk
Chá	茶	Tea
Shuǐ	水	Water
Weī shì ji	威士忌	Whisky
Jiǔ	酒	Wine
		MISCELLANEOUS
Shāo	烧	Baked
Zhǔ	煮	Boiled
Lěng dòng de	冷凍的	Cold, chilled
Xīn xiān de	新鲜的	Fresh
Chǎo, yǒujiān	炒，油煎	Fried
Kǎo	烤	Grilled
Shíjǐng cài	什錦菜	Hashed
Rè	熱	Hot
Bīng	冰	Ice
Tǔdòu ní	土豆泥	Mashed
Mǐfàn	米飯	Rice

38

Kǎo	烤	Roast
Zhēng	蒸	Steamed

	中國菜	CHINESE FOOD
Húndùn tāng	混頓湯	" Won Ton " Soup
Níuròu mógu	牛肉蘑菇	Beef with mushrooms
Jīròu chǎomiàn	雞肉炒面	Chicken breast " Chow Mein (with Noodles)
Mǐ fàn	米飯	Rice
Chǎo shíjing sùcài	炒什錦素菜	Mixed Fried Vegetable
Táng cù shāo yú	糖醋燒魚	Fried Fish(Sole)Sweet&Sour
Zhúsun mógu xiā	竹筍蘑菇蝦	Shrimp with Bamboo shoots & Mushrooms
Jiā cháng jī gān	家常雞肝	Chicken liver house style

	時間，日，月	TIME , DAYS MONTHS
Shàngwǔ	上午	Morning
Zài shàngwǔ	在上午	In the morning
Zhōngwǔ	中午	Noon
Zài zhōngwǔ	在中午	At noon

Xiàwǔ	下午	Afternoon
Báitiān	白天	Daytime
Zài xiàwǔ	在下午	In the afternoon
Wǎnshàng	晚上	Evening
Zài wǎnshàng	在晚上	In the evening
Yewǎn	夜晚	Night
Wǔyè	午夜	Mid-night
Zuótiān wǎnshàng	昨天晚上	Last-night
Qiántiān	前天	The day before yesterday
Zuótiān	昨天	Yesterday
Jīntiān	今天	Today
Míngtiān	明天	Tomorrow
Míngtiān zǎoshàng	明天早上	Tomorrow morning
Míngtiān xiàwǔ	明天下午	Tomorrow afternoon
Hòutiān	後天	The day after tomorrow
Xiànzài	現在	Now
Xiànzài jǐdiǎn le?	現在幾點了?	What time is it now?
Xiànzài yì diǎn	現在一點	It is one o'clock
Yì diǎn	一點	One o'clock
Liǎng diǎn	兩點	Two o'clock

Sān diǎn	三點	Three o'clock
Sì diǎn	四點	Four o'clock
Wǔ diǎn	五點	Five o'clock
Liù diǎn	六點	Six o'clock
Qī diǎn	七點	Seven o'clock
Bā diǎn	八點	Eight o'clock
Jǐu diǎn	九點	Nine o'clock
Shí diǎn	十點	Ten o'clock
Shí yī diǎn	十一點	Eleven o'clock
Shí èr diǎn	十二點	Twelve o'clock
Sān diǎn shí fēn	三點十分	Ten past three
Wǔ diǎn yí kè	五點一刻	A quarter past five
Lìu diǎn bàn	六點半	Half past six
Qī diǎn èr shí	七點二十	Seven twenty
Qī diǎn èr shí	七點二十	Twenty past seven
Qī diǎn sì shí	七點四十	Seven forty
Chà èr shí bā diǎn	差二十八點	Twenty to eight
Jǐu diǎn sì shí wǔ	九點四十五	Nine forty-five
Chà yí ke shí diǎn	差一刻十點	A quarter to ten
Bówùguǎn jǐ diǎn kāimén?	博物館幾點開門?	At what time does the museum open?

Bówùguǎn	博物館	Museum
Bànguēng shì	辦公室	Office
Jùyuàn	劇院	Theater
Bǎi huò shāngdiàn	百貨商店	Department store
Zhège shāngdiàn	這個商店	The／This shop
Zhège shāngdiàn shéme shíhòu guānmen?	這個商店 什麼時候關門？	When will this shop be closed ?
Zhège bǎi huò shāngdiàn jīntiān guānmen	這個百貨商店 今天關門	The department store is closed today
Yīnwéi jīntiān shì jiàrì	因爲今天是假日	Because today is holiday
Jié jiàn rì	節假日	Holiday
Jīntiān xīngqī jǐ?	今天星期幾？	What day of the week is it today?
Jīntiān shì xīngqī tiān	今天是星期天	Today is Sunday
Xīngqī rì	星期日	Sunday
Xīngqī yī	星期一	Monday
Xīngqī èr	星期二	Tuesday
Xīngqī sān	星期三	Wedensday
Xīngqīsì	星期四	Thursday
Xīngqīwǔ	星期五	Friday
Xīngqīliù	星期六	Saturday

Yí ge xīngqī	一個星期	A week
Yí ge xīngqī	一個星期	For a week
Shàng ge xīngqī	上個星期	Last week
Zhè ge xīngqī	這個星期	This week
Xià ge xīngqī	下個星期	Next week
Zhè ge zhǎnlǎnhuì shénme shíhòu kāimén?	這個展覽會 什麼時候開門?	When the exhibition will be opened?
Zhè ge xīngqīer	這個星期二	Tuesday of this week
Cóng xià ge xīngqī wǔ	從下個星期五	From next Friday
Duō cháng shíjiān	多長時間	How long
Sān ge xīngqī	三個星期	For three weeks
Dàgài	大概	About
Yí ge yuè	一個月	For a month
Yuè	月	Month
Shàng ge yuè	上個月	Last month
Zhè ge yuè	這個月	This month
Xià ge yuè	下個月	Next month
Yí yuè	一月	January
Er yuè	二月	February

Sān yuè	三月	March
Sì yuè	四月	April
Wǔ yuè	五月	May
Liù yuè	六月	June
Qī yuè	七月	July
Bā yuè	八月	August
Jǐu yuè	九月	September
Shí yuè	十月	October
Shí yī yuè	十一月	November
Shí èr yuè	十二月	December
Jìjié	季節	Season
Sì jì	四季	Four season
Chūntiān	春天	Spring
Xiàtiān	夏天	Summer
Qīutiān	秋天	Autumn
Dōngtiān	冬天	Winter
Zuài chūntiān	在春天	In spring
Nián	年	Year
Qùnián	去年	Last year
Jīnnián	今年	This year
Míngnián	明年	Next year

44

	天氣	WEATHER
Jīntiān de tiānqì fēicháng hǎo, shì bu shì?	今天的天氣非常好，是不是？	It's a beautiful day today, isn't it?
Duō hǎo de tīnqì a!	多好的天氣啊!	What a beautiful day!
Piàoliàng	漂亮	Beautiful
Piàoliàng de luòrì	漂亮的落日	Beautiful sunset
Míngliàng	明亮	Bright
Míngliàng he chéngqīng	明亮和澄清	Bright and clear
Yí ge qínglǎng de rìzi	一個晴朗的日子	A bright and clear day
Hánlěng de	寒冷的	Chilly
Duōyún de	多雲的	Cloudy
Lěng	冷	Cold
Hěn lěng	很冷	Very cold
Jīngtiān hěn lěng	今天很冷	Today is very cold
Gānzào	干燥	Dry
Wù méngmeng de	霧蒙蒙的	Foggy
Rè	熱	Hot
Yán re	炎熱	Very hot
Shī dù	濕度	Humidity
Mèn rè	悶熱	Sultry

Yǔ	雨	Rain
Xià yǔ le	下雨了	It is raining
Xuě	雪	Snow
Xià xuě le	下雪了	It is snowing
Táifēng	台風	Typhoon
Táifēng kùi lái le	台風快來了	Typhoon is approaching
Wēn nuǎn	溫暖	Warm
Yǔsǎn	雨傘	Unbrella
Yǔyī	雨衣	Raincoat
Jiāo xié	膠鞋	Rubber boots
Yǔ xié	雨鞋	Rain shoes
Wǒ yīnggāi dài yǔsǎn ma?	我應該帶雨傘嗎？	Should I take an umbrella?
	衣服	CLOTHE
Wǒ xiǎng mǎi...	我想買...	I would like to buy...
Wǒ de hào shì...	我的號是...	My size is...
Wǒ kěyǐ shì yi xià ma?	我可以試一下嗎？	May I try it on?
Tài cháng le	太長了	It is too long
Tài duǎn le	太短了	It is too short
Tài zhǎi le	太窄了	It is too narrow
Tài féi le	太肥了	It is too wide

Yì tiáo duǎnkù	一條短褲	A pair of shorts
Yì tiáo kùzi	一條褲子	A pair of trousers
Kòuzi	扣子	Button
Pījiān	披肩	Cape
Wàitào	外套	Coat
Shǒutào	手套	Gloves
Shǒujuàn	手絹	Handkerchief
Jiáke	夾克	Jacket
Píge	皮革	Leather
Yàmá bù	亞蔴布	Linen
Kǒudài	口袋	Pocket
Shùiyī	睡衣	Pijamas
Yǔyī	雨衣	Rain coat
Wéijīn	圍巾	Scarf
Sīzhī pǐn	絲織品	Silk
(Chǎng tǒng) Wàzi	（長統）襪子	Stockings
Tàofu	套服	Suit
Máojin	毛衣	Sweater
Yóuyǒng yī	游泳衣	Swimming suit
Lǐngdài	領帶	Tie

	洗衣房	LAUNDRY
✳ Ní néng wèi wǒ xǐ zhè jiàn chènyī ma?	您能爲我洗 這件襯衣嗎?	Could you,please, clean my shirt?
Chèngyī	襯衣	Shirt/Shirts
Lǐngzi	領子	Collar
Nǚfu	女服	Dress
Nèikào	内褲	Underwear
✳ Nín néng wèi wǒ xǐ yùn zhèxiē chènyī ma?	您能爲我洗 熨這些襯衣嗎?	Could you wash and iron the shirts for me?
Dào míngtiān	到明天	Until tomorrow
Shénme shíhòu kěyǐ qǔ?	什麼時候可以取?	When will they be ready ?

	租車	CAR RENTAL
Zài nǎr kěyǐ zū chē	在哪兒可以租車?	Where can I rent a car
Wǒ yǒu guójì jiàshǐ zhízhào	我有國際駕駛 執照	I have an international Driving license
Yì tiān de zū chē fèi shì duōshǎo?	一天的租車費 是多少?	How much is it to rent a car per day?
Zuìjìng de jiā yóu zhàn zài nǎr?	最近的加油站 在哪兒?	Where is the nearest petril(gas) station?

48

Qǐng guàn...shēng yóu	請灌...升油	Please, put in...liters
Qǐng kàn yí xià	請看一下	Check the oil, please
hái yǒu yóu ma?	還有油嗎?	
Yóu	油	Oil
Zhì dòng qì	制動器	Brakes
Chǐlún xiāng	齒輪箱	Gear box
Huǒ huā sāi(neiran ji de)	火花塞(內燃機的)	Plugs
Qǐng fàng yìxiē shuǐ zài...	請放一些水在...	Please put the water in...
Diànchí	電池	Battery
Sàn rè qì	散熱器	Radiator
Huàn yí xià chē li	換一下車裡	Change the lubricating
de rùnhuá yóu	的潤滑油	oil in the car
Lí hé qì	離合器	Clutch
Lù	路	Road
Bù hǎo de lù	不好的路	Bad road
Xiázhǎi de lù	狹窄的路	Narrow road
Jiāochā lù kǒu	交叉路口	Crossroad
Qiáo	橋	Bridge
Zhuǎn wān	轉彎	Turn
Jí zhuǎn wān	急轉彎	Sharp curve

	號碼	NUMBERS
Yī	一	1
Èr	二	2
Sān	三	3
Sì	四	4
Wǔ	五	5
Lìu	六	6
Qī	七	7
Bā	八	8
Jǐu	九	9
Shí	十	10
Shí yī	十一	11
Shí èr	十二	12
Shí sān	十三	13
Shí sì	十四	14
Shí wǔ	十五	15
Shí lìu	十六	16
Shí qī	十七	17
Shí bā	十八	18
Shí jǐu	十九	19

Èr shí	二十	20
Sān shí	三十	30
Sì shí	四十	40
Wǔ shí	五十	50
Lìu shí	六十	60
Qī shí	七十	70
Bā shí	八十	80
Jǐu shí	九十	90
Yì bǎi	一百	100
Yì bǎi líng yī	一百零一	101
Èr bǎi	二百	200
Yì qiān	一千	1,000
Yí wàn	一萬	10,000
Shí wàn	十萬	100,000

Huàn nàn yǔ gòng — Go through thick and thin together.

Mí tú zhī fǎn — Recover one's bearings and return to the fold.

Shì kě ér zhǐ — Stop before going too far.

shī bài shì chéng gōng zhī mǔ — Failure is the mother of success.

Qiān lǐ zhī xíng, shǐ yú zú xià — A thousand-Li journery is started by taking the first step.

Shì chū yǒu yīn — It is by no means accidental.

Lǐ qīng rén yì zhòng — The gift is trifle but the feeling is profound.

Huò zhēn jià shí — Genuine goods at a fair price.